Y0-CAR-590

Mademoiselle
NANCY
et les
papillons
exquis
TOUT ce qu'il
faut savoir
au sujet
des papillons!
GUIDE COMPLET DES PAPILLONS
Jane O'Connor
Illustrations de
Robin Preiss Glasser
notes
Éditions
SCHOLASTIC

À Robby et à Teddy, mes éleveurs de papillons préférés, avec amour
—J. O'C.

À Edith Pick Lindner, mon modèle de beauté et d'élégance
—R.P.G.

Texte français d'Hélène Pilotto

Catalogage avant publication de Bibliothèque et Archives Canada

O'Connor, Jane
Mademoiselle Nancy et les papillons exquis / Jane O'Connor ; illustrations de Robin Preiss Glasser ; texte français d'Hélène Pilotto.

Traduction de: Bonjour, butterfly.
Pour les 3-8 ans.

ISBN 978-1-4431-0169-1

I. Preiss-Glasser, Robin II. Pilotto, Hélène III. Titre.

PZ23.O26Maf 2010 j813'.54 C2010-900061-7

Édition publiée par les Éditions Scholastic, 604, rue King Ouest, Toronto (Ontario) M5V 1E1, avec la permission de HarperCollins.

5 4 3 2 1 Imprimé à Singapour 46 10 11 12 13 14

Conception graphique de la couverture et typographie : Jeanne L. Hogle

Petits pois de Nancy
tomates
haricots
persil
poireaux
laitues
basilic
PAILLIS

Ne trouves-tu pas que les papillons sont exquis? (C'est une façon chic de dire « jolis ».)

Chaque fois que mon amie Béatrice et moi en voyons un, nous lui disons : « Nos salutations, monsieur le papillon! » C'est plus chic qu'un simple bonjour.

— Les papillons comprennent-ils le français? demande mon père.

— Peut-être bien, dis-je.

C'est bientôt la fête de Béa. Il y aura des papillons partout. Même le gâteau sera en forme de papillon.

Je montre à Béa comment transformer les B en papillons sur les invitations.

— Tu as de la chance que ton prénom commence par un B!

RSVP est l'abréviation de « Répondez, s'il vous plaît ». C'est une façon chic d'indiquer qu'une réponse serait appréciée.

Je me déguise en papillon azur. Mes ailes sont bleu vif et... Quel est le mot chic pour dire brillant, encore? Ah, oui! Irisé.

— Samedi, c'est la fête de Béa! J'ai tellement hâte!

— Oh, non! s'écrie ma mère. J'avais complètement oublié!

Elle m'annonce alors que je ne pourrai pas y aller. La fête organisée pour l'anniversaire de mariage de mes grands-parents a lieu le même jour.

— La fête de Béatrice, c'est spécial, explique ma mère, mais être mariés depuis cinquante ans... c'est exceptionnel! C'est extraordinaire!

Si ma mère pense me remonter le moral en utilisant des mots chics, elle se trompe!

Quand j'annonce la nouvelle à Béa,
elle a le cœur en miettes.

À la maison, pendant
les deux jours suivants,
je grogne,

je boude

et je fulmine.

Dire que je suis en colère est loin d'être suffisant.

Je suis furieuse!

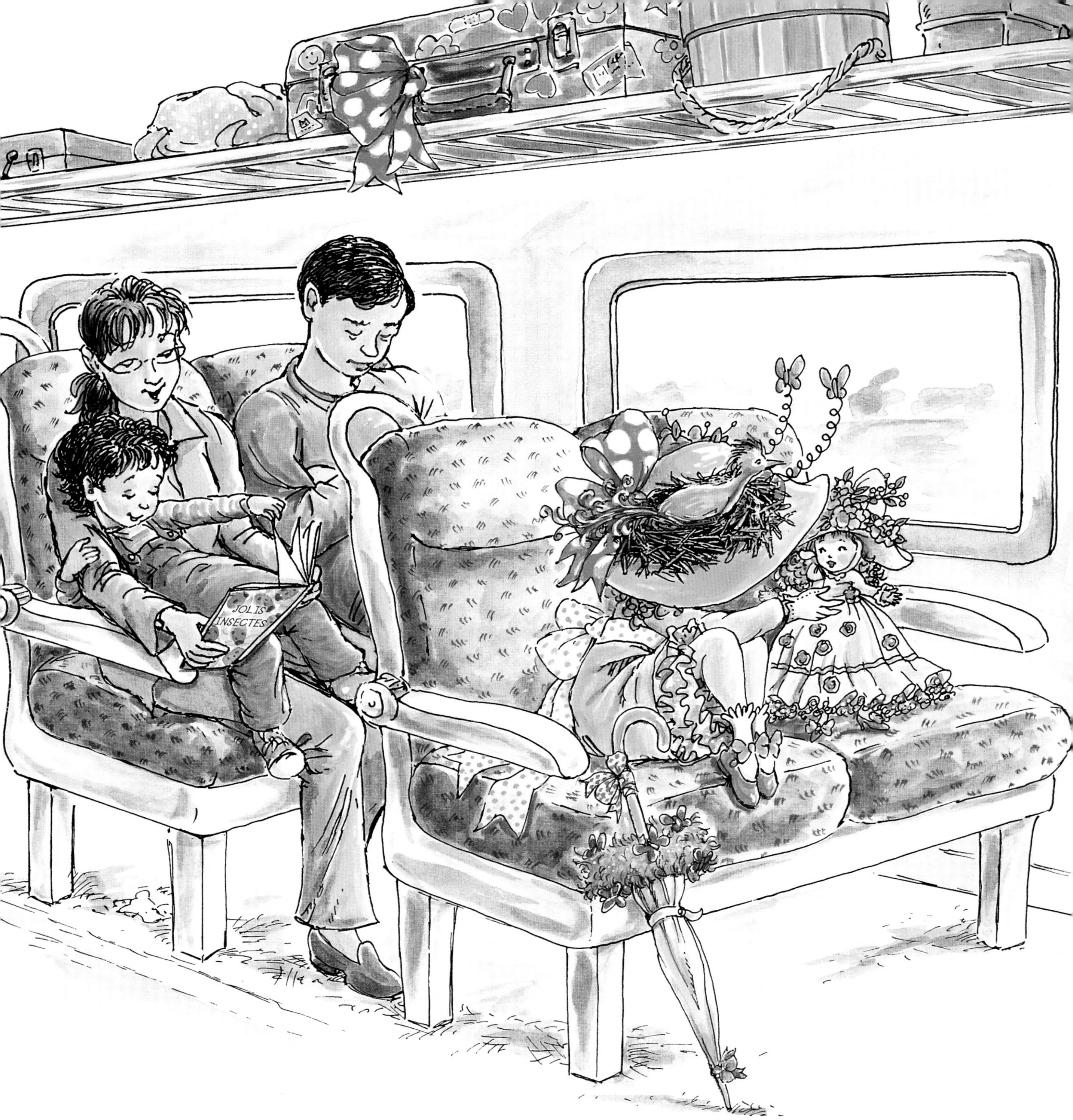

Dans le train, je ne parle qu'à ma poupée Marabelle, dans un langage soigné, quand même!

CAFE FRAIS
LESSIVE

Une fois à la gare, je retrouve un peu le sourire. Mes grands-parents sont si contents de me voir!

— Ça ne serait pas une vraie fête sans notre éblouissante petite-fille, déclare grand-papa.

Je dois reconnaître que le motel Le Châtelain est de grande classe. (C'est une façon chic de dire « luxueux ».) Je fais la révérence à tout le monde.

Dans le hall, il y a un distributeur de
bonbons et une machine à glaçons.

Dans la salle de bain, il y a des petites bouteilles de bain moussant, de shampoing et de crème. Oh là là! On se croirait au spa!

Je m'amuse tellement pendant la fête
que j'oublie d'être furieuse.

Grand-papa m'apprend à danser le cha-cha-cha.

Les serveurs nous apportent de tout petits amuse-gueules sur des plateaux d'argent.

— Mmmm! Délicieux, ma chère, dis-je à ma sœur. Tu devrais y goûter.

Plus tard dans la soirée, je murmure à ma mère :

— Je suis désolée d'avoir agi comme je l'ai fait. Je suis absolument ravie d'être ici.

C'est vraiment une soirée extraordinaire.

Le lendemain matin, ma mère me réveille.

— Grand-maman dit qu'il y a un jardin spécial pour les papillons au zoo. Aimerais-tu y aller?

— Volontiers!

C'est une façon chic de dire « Oui, oui, oui! »

Mes grands-parents nous retrouvent au zoo.

— Les papillons de ta cravate sont des monarques, dis-je à grand-papa.

— Ma parole! Tu connais bien les papillons, dit-il.

— C'est vrai. Je suis quasiment une experte.

Le jardin aux papillons est admirable. (C'est une autre façon chic de dire « très beau ».) J'ai hâte de raconter ça à Béa.

Tout à coup, un petit papillon bleu volette vers moi : c'est un papillon azur. Tous les papillons sont beaux, mais celui-ci est absolument exquis. Je lui dis :

— Mes salutations, monsieur le papillon!

Et tu sais...

Je suis presque certaine que les papillons comprennent le français.